学习四声调

"―"、"／"、"Ｖ"、"ㄟ"四种符号,表示普通话语音"阴平、阳平、上声和去声"四个声调(也称一、二、三、四声),它标在音节的主要韵母上,轻声不标。如妈 mā(阴平)、麻 má(阳平)、马 mǎ(上声)、骂 mà(去声)、吗 ma(轻声)。

声调特点:一声高高一路平,二声由低往上扬,三声先隆再扬起,四声由高降到低。

声调歌

一声 ―

dān yùn mǔ tóu dài mào
单 韵 母 , 头 戴 帽 ,

sì dǐng mào zi sì gè diào
四 顶 帽 子 四 个 调 。

yī shēng píng   èr shēng yáng
一 声 平 , 二 声 阳 ,

sān shēng guǎi wān zài xiàngshàng
三 声 拐 弯 再 向 上 ,

sì shēng kuài kuài wǎng xià jiàng
四 声 快 快 往 下 降 。

二声 ／

三声 Ｖ

四声 ＼

发音要领

单韵母的发音要领:

单韵母发音时, 声音要响亮, 嘴的形状摆好后不要变动。普通话有四种不同的声调, 有高有低, 非常好听。每个单韵母都可以读出四种声调来, 我们称它们为"四声"。

声母的发音要领:

声母发音时, 要又轻又短。

复韵母的发音要领:

复韵母是由两个单韵母合在一起组成的韵母, 共有9个。

复韵母发音和单韵母不同, 发音时, 嘴的形状要变动, 就是由第一个单韵母的口形变到第二个单韵母的口形, 但要注意不能读出两个字母的音, 要合成一个音。

复韵母的四声标调:

复韵母的声调符号要标在声音比较响亮的那个字母上。现在, 我们来读标调歌:

一个音节一个调, 声调符号像顶帽。

声调符号标在哪? 只在韵母头上标。

看见 a 母 a 上标, 不见 a 母找 o、e。

i、u 并列标在后, 轻声上面不标调。

还有一点别忘记, i 母标调点去掉。

1

学拼音

你真棒　要努力　要加油

拼音发音的基本知识

发音器官图

1. 上唇
2. 上齿
3. 上齿龈
4. 硬腭
5. 软腭
6. 小舌
7. 舌尖
8. 舌面
9. 声带
10. 鼻孔

单韵母发音时，声音要响亮，嘴的形状摆好后不要变动。

声母发音时，要又轻又短。

普通话有四种不同的声调，有高有低，非常好听。每个单韵母都可以读出四种声调来，我们称它们为"四声"。

韵母	单韵母	a o e i u ü
	复韵母	ai ei ui ao ou iu ie üe er
	前鼻韵母	an en in un ün
	后鼻韵母	ang eng ing ong

声母	b p m f d t n l g k h j q x z c s zh ch sh r y w

整体认读音节	zhi chi shi ri zi ci si yi wu yu ye yue yuan yin yun ying

学习单韵母 a o e i u ü

啊

喔

学声调： ā á ǎ à

学声调： ō ó ǒ ò

a a a a a a a a a

o o o o o o o o

 认真地写一写

 认真地写一写

a a a a a a a a a a

o o o o o o o o

a a a a a a a a a

o o o o o o o o

3

学拼音

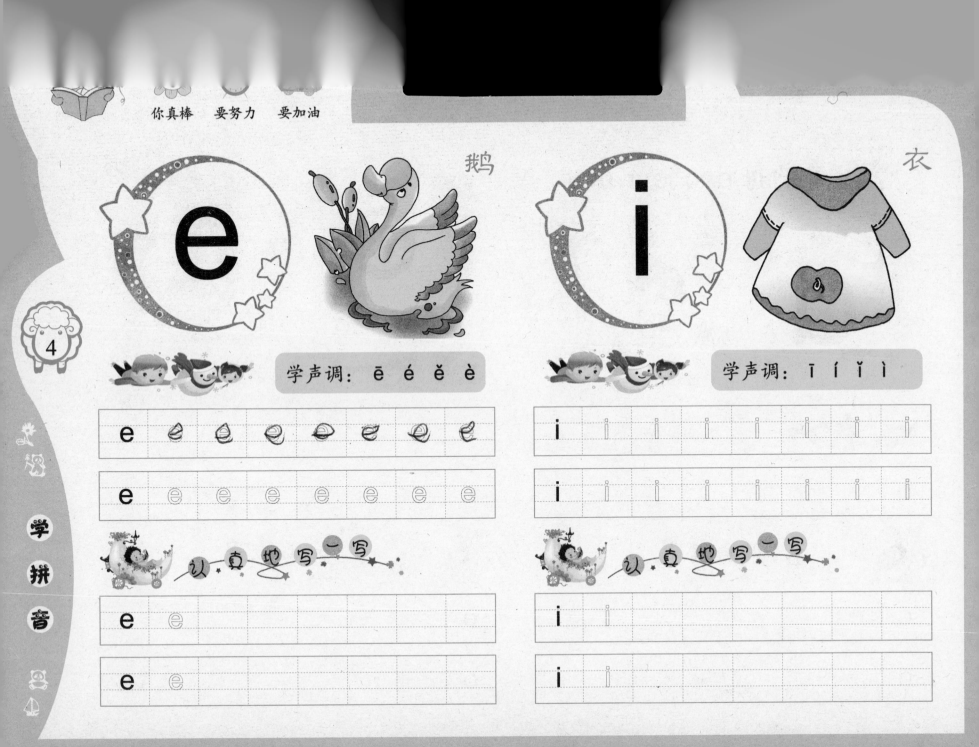

鹅

衣

4

e

i

学声调：ē é ě è

学声调：ī í ǐ ì

e　e　e　e　e　e　e　e

e　e　e　e　e　e　e

i　i　i　i　i　i　i

i　i　i　i　i　i

认真地写一写

认真地写一写

e　e

i　i

e　e

i　i

学拼音

你真棒　要努力　要加油

u

呜

学声调：ū ú ǔ ù

| u | u | u | u | u | u | u | u |

| u | u | u | u | u | u | u | u |

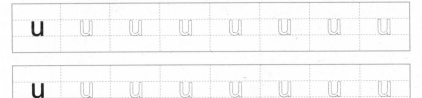
认真地写一写

| u | u |

| u | u |

ü

鱼

5

学声调：ǖ ǘ ǚ ǜ

| ü | ü | ü | ü | ü | ü | ü | ü |

| ü | ü | ü | ü | ü | ü | ü | ü |

认真地写一写

| ü | ü |

| ü | ü |

学拼音

你真棒　 要努力　 要加油

请按顺序填上相应的韵母。

这里有 12 只袜子,字母相同的是一双。请你读读拼音字母,再给每双袜子涂上相同的颜色。

读一读下面四声,再抄写。

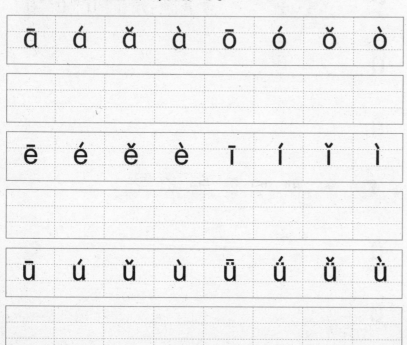

ā	á	ǎ	à	ō	ó	ǒ	ò

ē	é	ě	è	ī	í	ǐ	ì

ū	ú	ǔ	ù	ǖ	ǘ	ǚ	ǜ

6

学拼音

你真棒　要努力　要加油

请把与果篮有相同拼音字母的水果连到篮子里。

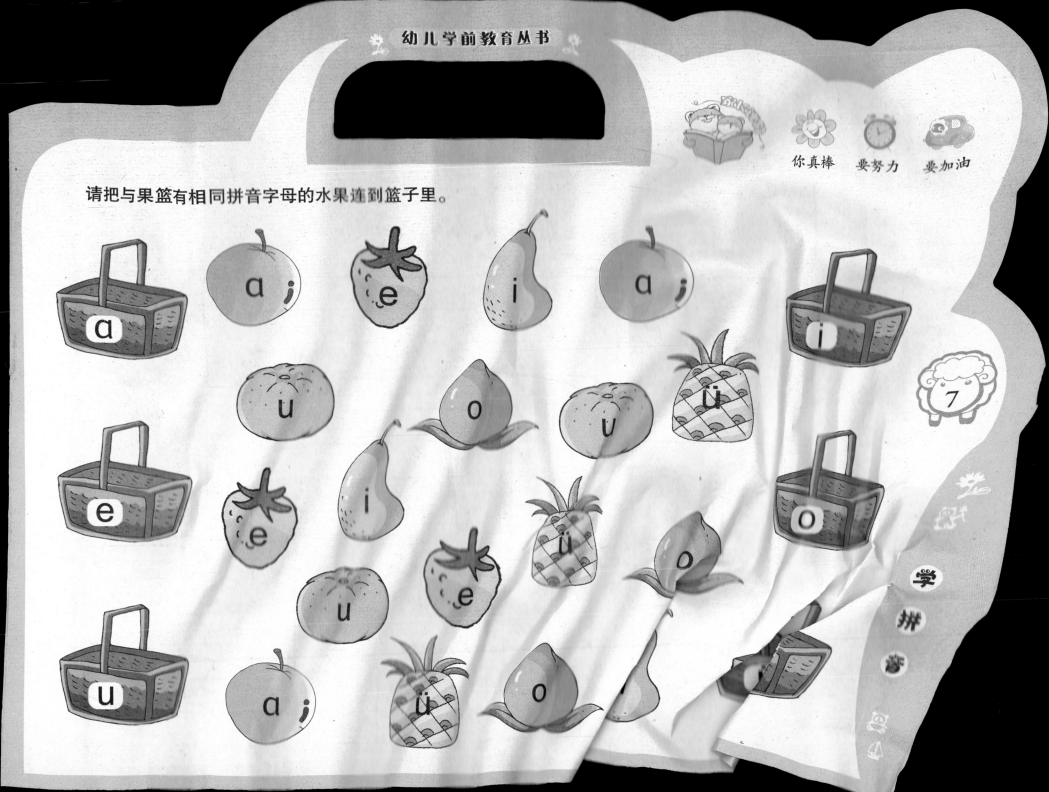

游戏大本营

你真棒　要努力　要加油

请你
帮助小狗
找到小球
吧

你真棒　　要努力　　要加油

学习单声母 b p m f

播

学拼读：　b→ā→bā

b　b　b　b　b　b　b　b

b　b

b　b

泼

学拼读：　p→ā→pā

p　p　p　p　p　p　p　p

p　p　p　p　p　p　p　p

p　p

p　p

9

学拼音

你真棒　要努力　要加油

10

摸

m

学拼读： m→ā→mā

m	m	m	m	m	m	m	m

m	m	m	m	m	m	m	m

 认真地写一写

m	m

m	m

佛

f

学拼读： f→ā→fā

f	f	f	f	f	f	f	f

f	f	f	f	f	f	f	f

 认真地写一写

f	f

f	f

学拼音

你真棒　要努力　要加油

读一读，写一写。

bā			bó				mā			mó		

bǐ			bù				mǔ			mì		

11

pā			pó				fā			fà		

pǔ			pì				fǔ			fù		

学拼音

你真棒　 要努力　 要加油

看图拼读音节。

小红在吹泡泡,请你把有拼音字母"p"的泡泡涂上红颜色,有拼音字母"b"的涂上黄颜色。

b --- ǐ --→（bǐ）

p --- á --→（pá）

12

m --- ǎ --→（mǎ）

f --- ǔ --→（fǔ）

qián yīn　shēng mǔ　qīng duǎn hòu yīn
前音（声母）轻短后音
yùn mǔ　zhòng liǎng yīn xiāng lián měng yí pèng
（韵母）重,两音相连猛一碰。

学拼音

你真棒　要努力　要加油

学习单声母 d t n l

d

嘚

t

特

学拼读： d→ē→dē

d　d　d　d　d　d　d　d

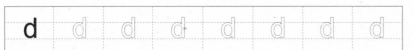 认真地写一写

d　d

d　d

学拼读： t→ē→tē

t　t　t　t　t　t　t　t

t　t　t　t　t　t　t　t

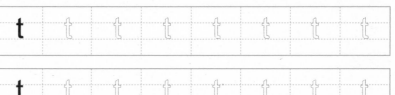 认真地写一写

t　t

t　t

13

学拼音

14

 讷

 乐

 学拼读： n→ē→nē

 学拼读： l→ē→lē

n　n　n　n　n　n　n

l　l　l　l　l　l　l

n　n　n　n　n　n　n

l　l　l　l　l　l　l

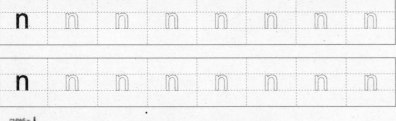

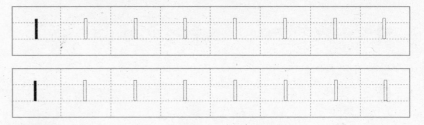

认真地写一写

认真地写一写

n　n

l　l

n　n

l　l

学拼音

你真棒　　要努力　　要加油

看图拼读音节。

请你照样子做一做。

d - - - ú → （dú）

t - - - ù → （tù）

n - - - í → （ní）

l - - - à → （là）

zhèng　　fǎn　　　sǎn bà cháo xià
正 6 b, 反 6 d, 伞 把 朝 下 t t t。
dān mén　shuāng mén　　yì gēn xiǎo gùn
单 门 n; 双 门 m, 一 根 小 棍 l l l。

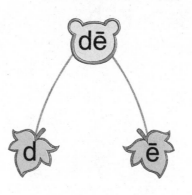

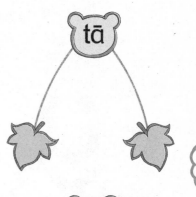

15

学拼音

你真棒　 要努力　 要加油

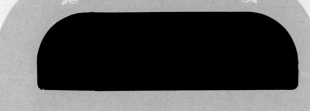

学习单声母 g k h

鸽

g

学拼读： g→ū→gū

g　g　g　g　g　g　g　g　g

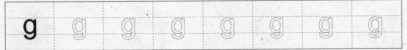

 认真地写一写

g　g

g　g

蝌

k

学拼读： k→ē→kē

k　k　k　k　k　k　k　k

k　k　k　k　k　k　k　k

 认真地写一写

k　k

k　k

16

学拼音

h

喝

学拼读：　h→ē→hē

| h | h h h h h h h h h |

| h | h h h h h h h h h |

认真地写一写

| h | h |

| h | h |

读一读，写一写。

gē	gè
gǔ	gù
kā	ké
kè	kǔ
hā	hú
hǔ	hè

17

学拼音

你真棒 要努力 要加油

看图拼读音节。

小兔跟着妈妈去拔白菜，请你帮小兔把有拼音字母的白菜拔起来，好吗？

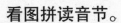

g --- ē --->（gē） g --- u --- ā --->（guā）

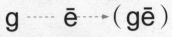

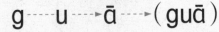

k --- ā --->（kā） h --- u --- ǒ --->（huǒ）

18

学拼音

shēng qīng jiè kuài yùn mǔ xiǎng jiù shì shēng
"声 轻 介 快 韵 母 响"就 是 声
mǔ dú de yòu qīng yòu duǎn zhōng jiān de jiè yīn yào
母 读 得 又 轻 又 短，中 间 的 介 音 要
dú de kuài hòu biān de yùn mǔ yào dú de xiǎng liàng
读 得 快，后 边 的 韵 母 要 读 得 响 亮。

 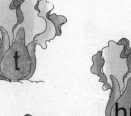        

t
hǔ
pō
h
d
gē
a
dǎ
lā
k
kē
g

你真棒 要努力 要加油

游戏大本营

你看,手的影子能变出这么多东西,快来试试看。

请你帮助鹤捉到鱼吧。

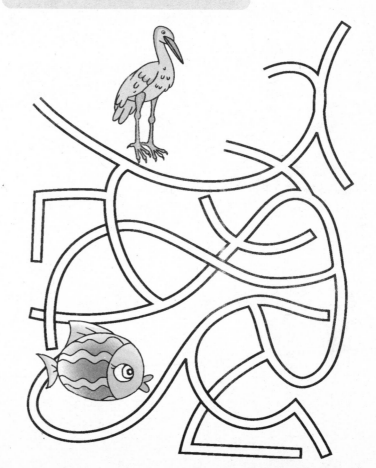

19

学拼音

你真棒　 要努力　 要加油

学习单声母 j q x

20

学拼音

机

q

气

学拼读：q→ī→qī

q q q q q q q q

q q q q q q q q

学拼读：j→ī→jī

j j j j j j j j

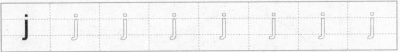

认真地写一写

认真地写一写

j j

j j

q q

q q

你真棒　要努力　要加油

西

学拼读：x→ī→xī

X X X X X X X X

X X X X X X X X

认真地写一写

X X

X X

读一读，写一写。

jū		jí
jì		jiǎ
qī		qí
qǔ		qù
xī		xiá
xú		xù

21

你真棒 要努力 要加油

看图拼读音节。

填一填,把正确的图标填在"( )"里。

j ---- ī ----→ (jī)

j ---- ú ----→ (jú)

※ 蛐( )蛐唱歌真好听。

●qū ■qǔ

※ 树上的橘( )子真好吃。

●jú ■jú

※ 老爷爷的胡须( )真白呀!

●xǔ ■xū

22

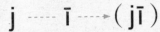

q ---- ì ----→ (qì)

x ---- i ---- ā ----→ (xiā)

小朋友,请你读一读 b p d q,把它们填到相应的横线上。

b p d q

学拼音

xiǎo táo qì kàn jiàn yú yǎn jiù
j q x 小淘气,看见鱼眼就
wā qù
挖去。

___ó ___ǐ ___í

你真棒　　要努力　　要加油

学习单声母 z c s

字

刺

学拼读：　z→ī→zī

学拼读：　c→ī→cī

z	z	z	z	z	z	z	z	z

c	c	c	c	c	c	c	c	c

c	c	c	c	c	c	c	c	c

认真地写一写

认真地写一写

z	z		

z	z		

c	c		

c	c		

23

学拼音

你真棒　要努力　要加油

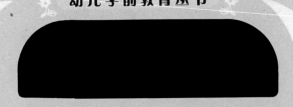

24

 丝

S

读一读,写一写。

zā				zé			
zǔ				zì			
cā				cí			
cǐ				cè			
sī				sú			
sǎ				sè			

学拼读：　s→i→sī

s	s	s	s	s	s	s	s	s
s	s	s	s	s	s	s	s	s

 认真地写一写

s	s							
s	s							

学拼音

你真棒　　要努力　　要加油

小朋友,请你读一读 z c s,把它们填到相应的横线上。

___í qì

táo ___i

yīn jié fēn wéi pīn dú hé zhěng tǐ rèn dú
音节分为拼读和整体认读
liǎng lèi　　pīn dú yīn jié shì yóushēngmǔ hé yùn
两类。拼读音节是由声母和韵
mǔ pīn hé ér chéng zhěng tǐ rèn dú yīn jié zé
母拼合而.成,整体认读音节则
shì zhěng tǐ dú chū　　　　jiù shì sān gè
是整体读出。zi ci si 就是三个
zhěng tǐ rèn dú yīn jié
整体认读音节。

lí ___i

___ì wei

请把有整体认读音节的花瓣圈起来,其他的画掉。

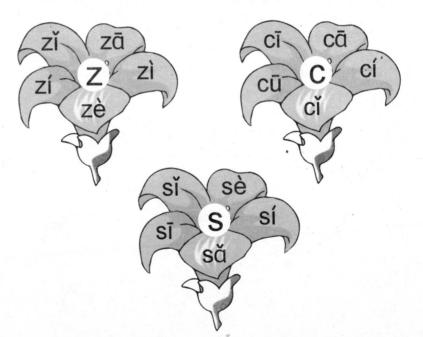

___ī guā

wà ___i

学拼音

你真棒 要努力 要加油

游戏大本营

26

学拼音

请你帮助小猴找到香蕉吧。

你真棒　要努力　要加油

学习声母 zh ch sh r

吃

zh

织

ch

 学拼读： zh→ī→zhī

学拼读： ch→ī→chī

| zh | zh | zh | zh | zh | zh | zh | zh |

| ch | ch | ch | ch | ch | ch | ch | ch |
| ch | ch | ch | ch | ch | ch | ch | ch |

 认真地写一写

 认真地写一写

| zh | zh |
| zh | zh |

| ch | ch |
| ch | ch |

27

学拼音

你真棒 要努力 要加油

28

sh

师

 学拼读： sh→ī→shī

sh	sh	sh	sh	sh	sh	sh	sh
sh	sh	sh	sh	sh	sh	sh	sh

 认真地写一写

sh	sh				
sh	sh				

r

日

 学拼读： r→ì→rì

r	r	r	r	r	r	r	r
r	r	r	r	r	r	r	r

 认真地写一写

r	r				
r	r				

de fā yīn bù wèi dōu shì shé jiān
z、c、s 的发音部位都是舌尖
hé shàngmén chǐ bèi   fā yīn shí shé tou shì píng
和上门齿背，发音时舌头是平
de   jiào píng shé yīn   yě jiào shé jiān yīn
的，叫平舌音，也叫舌尖音；zh、
fā yīn shí   shé tou dōu yào juǎn qǐ
ch、sh、r发音时，舌头都要卷起，
suǒ yǐ jiào qiào shé yīn
所以叫翘舌音。

shì shēng mǔ
zh ch sh r 是声母，zhi chi
shì zhěng tǐ rèn dú yīn jié   qián zhě kě
shi ri 是整体认读音节，前者可
yǐ tóng yùn mǔ xiāng pīn   ér hòu zhě bìng bú shì
以同韵母相拼，而后者并不是
shēng mǔ tóng yùn mǔ xiāng pīn   ér chéng de
声母同韵母相拼而成的。

读一读，练一练。

读音节，帮助音节找到自己的家。

cí	zhī	zi	cū
zuò	suǒ	chǐ	shù
shí	zhuā	sǎ	cì

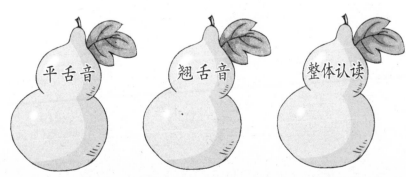

平舌音　　翘舌音　　整体认读

shī zi hé shì zi
狮子和柿子

wǒ shuō sì zhī dà shī zi   nǐ shuō sì gè huáng shì zi
我说四只大狮子，你说四个黄柿子，
shì zi sòng gěi dà shī zi   shī zi chī diào huáng shì zi
柿子送给大狮子，狮子吃掉黄柿子。

sì hé shí
四和十

sì shì sì   shí shì shí
四是四，十是十，
shí sì shì shí sì   sì shí shì sì shí
十四是十四，四十是四十，
shí sì bù dú sì shí   sì shí bù dú shí sì
十四不读四十，四十不读十四。

学拼音

你真棒　要努力　要加油

学习单声母 y w

屋

衣

w

学拼读：　w→ū→wū

w　w　w　w　w　w　w　w

学拼读：　y→ī→yī

y　y　y　y　y　y　y　y

w　w

认真地写一写

y　y

w　w

y　y

w　w

30

学拼音

你真棒　要努力　要加油

读一读,写一写。

yā					yí			
yǔ					yè			
wā					wú			
wǒ					wà			

按顺序填上所缺的声母,童话王国里的城堡就会更漂亮。

31

学拼音

你真棒　 要努力　 要加油

学习复韵母 ai ei ui

  挨

累

ei

 学声调：āi ái ǎi ài

 学声调：ēi éi ěi èi

ai　ai ai ai ai ai ai ai

ei　ei ei ei ei ei ei ei

ai　ai ai ai ai ai ai ai

ei　ei ei ei ei ei ei ei

 认真地写一写

 认真地写一写

ai　ai

ei　ei

ai　ai

ei　ei

32

学拼音

你真棒　要努力　要加油

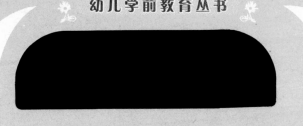

围

学声调：uī　uí　uǐ　uì

ui	ui	ui	ui	ui	ui	ui	ui
ui	ui	ui	ui	ui	ui	ui	ui

ui	ui
ui	ui

读一读，写一写。

āi			ái		
ǎi			ài		
ēi			éi		
ěi			èi		
uī			uí		
uǐ			uì		

33

学拼音

你真棒　 要努力　 要加油

照样子,读一读。

请把调号正确的苹果涂上红颜色。

w　ēi →wēi
x　i　ào →xiào

w　ū →wū
g　uī →guī

k　uí →kuí
h　u　ā →huā

n　ǎi →nǎi
n　ai →nai

34

 shuǐ

 heī

 zhūi

 chùi

 běi

 cǎi

 zài

 gěi

 hài

 zhuì

 rùi

 kāi

biāo diào hào shí zhù yì　　yǒu　biāo zài
标调号时注意：有ɑ标在ɑ,
méi　zhǎo　　　　bìng liè jǐn gēn hòu
没ɑ找ο e,i u并列紧跟后。

学拼音

你真棒　要努力　要加油

游戏大本营

请你帮助小星找到小猫吧。

35

你真棒　要努力　要加油

学习复韵母 ao ou iu

袄

36

学拼音

鸥

ao

ou

学声调：ōu óu ǒu òu

| ou | ou | ou | ou | ou | ou | ou | ou | ou |

| ou | ou | ou | ou | ou | ou | ou | ou | ou |

 学声调：āo áo ǎo ào

| ao | ao | ao | ao | ao | ao | ao | ao |

 认真地写一写

| ao | ao | | | | | |

| ao | ao | | | | | |

 认真地写一写

| ou | ou | | | | | |

| ou | ou | | | | | |

你真棒　要努力　要加油

iu

邮

学声调：iū　iú　iǔ　iù

| iu | iu | iu | iu | iu | iu | iu | iu |
| iu | iu | iu | iu | iu | iu | iu | iu |

| iu | iu |

| iu | iu |

读一读，写一写。

| āo | | áo | |

| ǎo | | ào | |

| | | | |

| ōu | | óu | |

| ǒu | | òu | |

| | | | |

| iū | | iú | |

| iǔ | | iù | |

| | | | |

37

你真棒 要努力 要加油

小朋友,请帮助明明分一分照片,将照片与对应的拼音用线连起来好吗?

咦,下面的动物们都在做什么? 请你在右边找到描写它们动作的拼音并用线连起来。

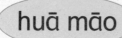 huā māo

chī cǎo

lǎo hǔ

shuì jiào

nǎi niú

chī táo

wō niú

xǐ zǎo

38

学拼音

你真棒　要努力　要加油

学习复韵母 ie üe er

椰

üe

月

39

学声调：iē　ié　iě　iè

学声调：üē　üé　üě　üè

| üe | üe | üe | üe | üe | üe | üe | üe |

| ie | ie | ie | ie | ie | ie | ie |

| üe | üe | üe | üe | üe | üe | üe | üe |

认真地写一写

认真地写一写

| ie | ie | | | | | |

| üe | üe | | | | | |

| ie | ie | | | | | |

| üe | üe | | | | | |

学拼音

你真棒　要努力　要加油

er

耳

读一读，写一写。

iē		ié	
iě		iè	
üē		üé	
üě		üè	
ēr		ér	
ěr		èr	

学声调：ēr　ér　ěr　èr

er	er	er	er	er	er	er	er
er	er	er	er	er	er	er	er

认真地写一写

er	er				

er	er				

40

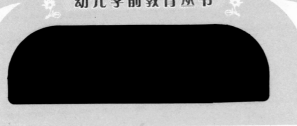

你真棒　要努力　要加油

拼一拼,选出正确的音节。

请你根据下面的图案写出音节来。

shū　běn
sū　běn

bēi zi
bèi zi

41

zhú qié
zú　qiú

tù zi
kù zi

dǎ shǎn
dǎ sǎn

bāo zi
bào zhǐ

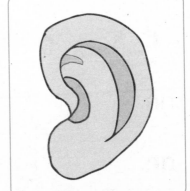

学

拼

音

你真棒　要努力　要加油

学习复韵母 an en in

安

en

摁

42

学声调：ān án ǎn àn

学声调：ēn én ěn èn

en ｜en｜en｜en｜en｜en｜en｜en

an ｜an｜an｜an｜an｜an｜an｜an

an ｜an

en ｜en

an ｜an

en ｜en

你真棒　要努力　要加油

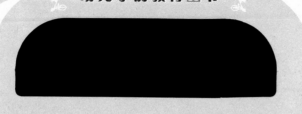

in

荫

学拼读：īn ín ǐn ìn

读一读,写一写。

ān				án		

ǎn				àn		

ēn				én		

ěn				èn		

īn				ín		

ǐn				ìn		

in	in	in	in	in	in	in	in

in	in	in	in	in	in	in	in

 认真地写一写

in	in

in	in

43

学拼音

你真棒　要努力　要加油

照样子,读一读。

小松鼠在树上开了个杂货店,请你把每种物品的数量填在下面的"□"中。

d ⟶ àn ⟶ dàn

zh ⟶ ěn ⟶ zhěn

44

q ⟶ ín ⟶ qín

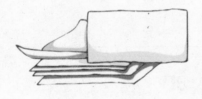

x ⟶ ìn ⟶ xìn

yí gè dān yùn mǔ hòumiàn jiā shàngxiǎo wěi
一个单韵母后面加上小尾
ba zhèyàng de yùn mǔ jiào qián bí yùn mǔ
巴n,这样的韵母叫前鼻韵母,an、
jiù shì qián bí yùn mǔ fā yīn shí yào
en、in就是前鼻韵母。发音时要
jì zhù shé jiān qīng dǐ shàng yá chuáng qì cóng bí
记住:舌尖轻抵上牙床,气从鼻
chūshēng yīn xiǎng
出声音响。

学拼音

	zì diǎn		qiān bǐ
	wén jù hé		yǔ sǎn
	xiàng pí		

你真棒　要努力　要加油

学习复韵母 un ün

un

温

学拼读：ūn ún ǔn ùn

| un | un | un | un | un | un | un | un |

 认真地写一写

| un | un | | | | | | |

| un | un | | | | | | |

ün

云

45

学声调：ūn ún ǔn ùn

| ün | ün | ün | ün | ün | ün | ün | ün |

| ün | ün | ün | ün | ün | ün | ün | ün |

认真地写一写

| ün | ün | | | | | | |

| ün | ün | | | | | | |

你真棒　要努力　要加油

游戏大本营

把下面这些东西名称的汉语拼音补充完整吧。

根据词语完成下面的拼音吧。

46

1　__ e

2　_ i __

3　_ a ___ u

4　t __ i

5　s __

6　c ___ i

学校　蝴蝶　开水

石头　书包　火箭　电视机

	u	e	x	i			
h	u		i	e			
k		s	h				
	s	h		t	o	u	
		u	b	a	o		
h			j	i	a	n	
d	i			s	h		j

你真棒　要努力　要加油

学习复韵母 ang eng ing ong

昂

灯

eng

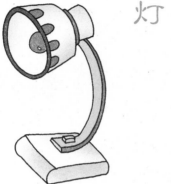

学声调：āng áng ǎng àng

学声调：ēng éng ěng èng

| ang | ang | ang | ang | ang | ang | ang | ang |

| eng | eng | eng | eng | eng | eng | eng | eng |

| eng | eng | eng | eng | eng | eng | eng | eng |

认真地写一写

认真地写一写

| ang | ang | | | |

| eng | eng | | | |

| ang | ang | | | |

| eng | eng | | | |

学拼音

你真棒 要努力 要加油

48

ing

鹰

ong

嗡

 学声调：īng íng ǐng ìng

| ing | ing | ing | ing | ing | ing | ing | ing |

| ing | ing | ing | ing | ing | ing | ing | ing |

 认真地写一写

| ing | ing | | | | | | |

| ing | ing | | | | | | |

 学声调：ōng óng ǒng òng

| ong | ong | ong | ong | ong | ong | ong |

| ong | ong | ong | ong | ong | ong | ong |

 认真地写一写

| ong | ong | | | | | | |

| ong | ong | | | | | | |

你真棒　要努力　要加油

看图连线。

dà xiàng

dà xióng māo

kǒng què

dān dǐng hè

cháng jǐng lù

shān yáng

yīng wǔ

kǒng lóng

照样子,读一读。

请你从上面的格子中选择声母和韵母,拼写在每幅图片下的横线上,注意别忘记标出声调。可重复选用。

f	z	b	k	ch	p	g
ang	i	ei	a	e	ing	uo

49

_____

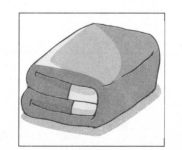

_____

学拼音

你真棒　要努力　要加油

游戏大本营

用帽子上的拼音字母，拼出以"m"开头的拼音吧。

选出绿叶上恰当的字母填在横线上

50

学拼音

你真棒　　要努力　　要加油

复习整体认读音节

| zhi | zhi | | | | |

| zhi | zhi | | | | |

| zhi | zhi | | | | |

| zhi | zhi | | | | |

| chi | chi | | | | |

| chi | chi | | | | |

| chi | chi | | | | |

| chi | chi | | | | |

| shi | shi | | | | |

| shi | shi | | | | |

| shi | shi | | | | |

| shi | shi | | | | |

| shi | shi | | | | |

| ri | ri | | | | |

| ri | ri | | | | |

| ri | ri | | | | |

| ri | ri | | | | |

| ri | ri | | | | |

51

学拼音

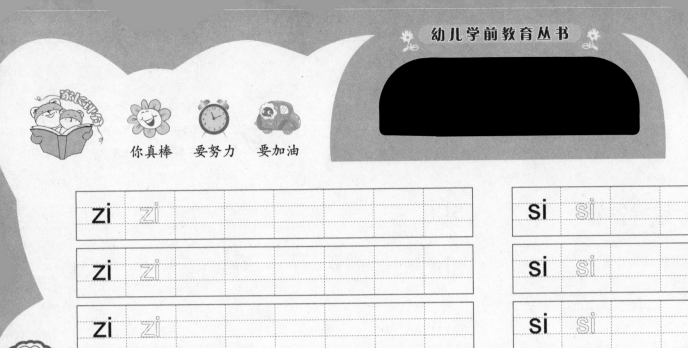

你真棒　要努力　要加油

52

学

拼

音

zi　zi

zi　zi

zi　zi

zi　zi

zi　zi

ci　ci

ci　ci

ci　ci

ci　ci

ci　ci

si　si

si　si

si　si

si　si

si　si

yi　yi

yi　yi

yi　yi

yi　yi

yi　yi

你真棒　要努力　要加油

wu	wu

wu	wu

wu	wu

wu	wu

wu	wu

yu	yu

yu	yu

yu	yu

yu	yu

yu	yu

ye	ye

ye	ye

ye	ye

ye	ye

ye	ye

yue	yue

yue	yue

yue	yue

yue	yue

yue	yue

53

学

拼

音

你真棒 要努力 要加油

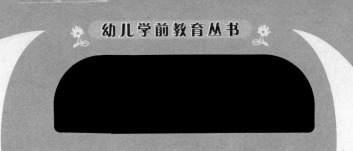

54

yuan	yuan								
yuan	yuan								
yuan	yuan								
yuan	yuan								
yuan	yuan								
yin	yin								
yin	yin								
yin	yin								
yin	yin								
yin	yin								

yun	yun								
yun	yun								
yun	yun								
yun	yun								
yun	yun								
ying	ying								
ying	ying								
ying	ying								
ying	ying								
ying	ying								

你真棒　　要努力　　要加油

总复习(一)

1.在下面的空白处按顺序填写声母。

b		m		d		n
	k		j		x	zh	ch
sh			c			y	

2.在下面的空白处按顺序填写韵母。

	o		i		ü		ei
ui		ou		ie		er	
	in		ün		eng		ong

3.在下面的空白处填写整体认读音节。

zhi		shi		zi		si	
	yu		yue		yin		ying

4.写一写下面的单韵母。

a	o	e	i	u	ü

5.拼读后写出拼写音节。

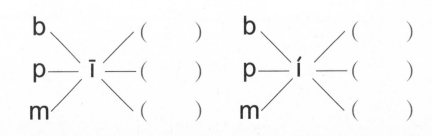

b — ( )
p — ā — ( )
m — ( )

b — ( )
p — á — ( )
m — ( )

b — ( )
p — ī — ( )
m — ( )

b — ( )
p — í — ( )
m — ( )

55

学拼音

你真棒 要努力 要加油

6.拼一拼。

7.把正确的拼音填在方框内。

56

学拼音

y c k	an	yan
j q x	ing	jing
z c s	eng	

c d g	un	
g k h	ang	
zh ch s	ong	

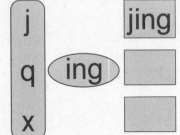

练一练，读一读

yǎn kǒu liǎn

shǒu tuǐ jiǎo

你真棒 要努力 要加油

总复习(二)

1.拼读后写出拼写音节。

f — ā →（　　）　　　t — ù →（　　）

d — ù →（　　）　　　t — ī →（　　）

n — á →（　　）　　　d — à →（　　）

zh
í
（　　）

sh
ā
（　　）

ch
ē
（　　）

zh
ū
（　　）

c
ā
（　　）

z
é
（　　）

s
ū
（　　）

z
á
（　　）

y
ú
（　　）

c
ū
（　　）

w
ā
（　　）

r
è
（　　）

2.把图和拼读音节连起来。

57

bǐ　　mǎ　　lí　　tù

3.连一连。

bǐ
pó
mō
mù
fǒ

bà
mā
tī
lí
tù

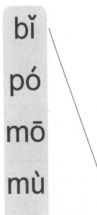   

学拼音

你真棒　要努力　要加油

4.给加点的字选择正确的答案,写在横线上。

房屋＿＿＿＿（wū　wù）　　误会＿＿＿＿（wú　wù）

金鱼＿＿＿＿（yú　yǔ）　　女孩＿＿＿＿（nǚ　nǔ）

爷爷＿＿＿＿（yé　ye）　　夜晚＿＿＿＿（yé　yè）

天热＿＿＿＿（yuè　rè）　　月牙＿＿＿＿（yùe　yuè）

58

5.读一读下面的拼音,然后抄写。

bái　yún　rén　mín　liú　shuǐ

dà　yàn　chī　fàn　lán　tiān

xiǎo　hái　xiǎo　yǔ

6.判断拼写正误,把正确的抄写一遍,错误的改正。

jā（　　）　　jú（　　）　　nó（　　）

jiā（　　）　　jú（　　）　　nuó（　　）

7.请把所缺的声母按顺序填上。

b □ □ □ d □ □ □ □ k

q □ □ □ sh □ □ □ □ y

8.学习三拼音。

三拼音　要连读　声母短　介母快　韵母读得要响亮

l – u – ó→luó　　　g – u – ò→guò

声母　介母　韵母

k – u – ò→kuò

h – u – ò→huò

9.看图写拼音。

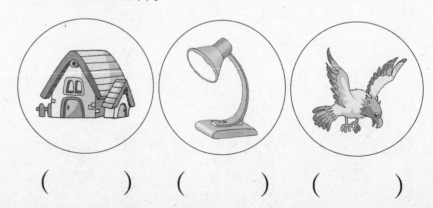

（　　　　）　　（　　　　）　　（　　　　）

你真棒　要努力　要加油

总复习(三)

1.比一比,认清字形。

b — d	a — d	n — h
n — m	n — u	p — q
g — q	g — p	u — ü

2.拼读后写出音节。

g
ē ＞( )

h
ē ＞( )

x
ǘ ＞( )

j
ǘ ＞( )

q
ū ＞( )

x
ī ＞( )

k
ě ＞( )

h
é ＞( )

3.读一读。

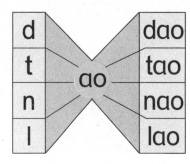

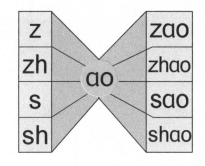

4.拼写字母。

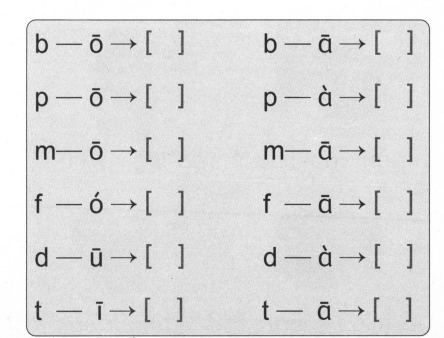

b — ō → [ ]　　b — ā → [ ]

p — ō → [ ]　　p — à → [ ]

m — ō → [ ]　　m — ā → [ ]

f — ó → [ ]　　f — ā → [ ]

d — ū → [ ]　　d — à → [ ]

t — ī → [ ]　　t — ā → [ ]

59

学拼音

你真棒 要努力 要加油

幼儿学前教育丛书

5.将下面所缺的声母补充完整。

k sh t l h b q n j

__ě__è

__ǔ__iáo

__àn__ǎo bāo

__īng__í__ín

mià____āo

mǐ fà__

6.练一练。

小明要给伙伴们寄四封信,你能帮他贴对邮票吗? 请你用图标表示。

   ○

chūn tiān dào,
táo huā kāi
●

dōng tiān dào,
xuě huā piāo
▲

xià tiān dào,
hé huā kāi
★

qiū tiān dào,
jú huā kāi
◆

60

学拼音

你真棒 要努力 要加油

7.将下面所缺的声母补充完整。

yù dào shī
huǒ qǐng bō

shēng bìng shí
qǐng bō

110

120

119

114

chá xún diàn
huà qǐng bō

yù dào huài
rén qǐng bō

8.拼一拼,读一读,找出后鼻韵母和整体认读音节。

jìng yè sī
静 夜 思

táng lǐ bái
(唐)李白

chuáng qián míng yuè guāng yí shì dì shàng shuāng
床 前 明 月 光,疑 是 地 上 霜。
jǔ tóu wàng míng yuè dī tóu sī gù xiāng
举 头 望 明 月 ,低 头 思 故 乡。

lù zhài
鹿 柴

táng wáng wéi
(唐)王 维

kōng shān bú jiàn rén dàn wén rén yǔ xiǎng
空 山 不 见 人,但 闻 人 语 响。
fǎn jǐng rù shēn lín fù zhào qīng tái shàng
返 景 入 深 林,复 照 青 苔 上。

61

学拼音

你真棒　　要努力　　要加油

9.读儿歌,先慢慢读,熟练了以后再加快速度。

幼儿学前教育丛书

62

学

拼

音

dǎ cù mǎi bù
打醋买布

yí wèi yé ye tā xìng gù　shàng jiē dǎ cù yòu mǎi bù
一位爷爷他姓顾,上街打醋又买布。

mǎi le bù　dǎ le cù　huí tóu kàn jiàn yīng zhuā tù
买了布,打了醋,回头看见鹰抓兔。

fàng xià bù　gē xià cù　shàng qián qù zhuī yīng hé tù
放下布,搁下醋,上前去追鹰和兔。

fēi le yīng　pǎo le tù　dǎ fān cù　cù shī bù
飞了鹰,跑了兔,打翻醋,醋湿布。

qí mù mǎ
骑木马

mǎ er bù chī cǎo　mǎ er mǎn dì pǎo
马儿不吃草,马儿满地跑,

pǎo guò sān zuò shān　pǎo guò bā zuò qiáo
跑过三座山,跑过八座桥。

pǎo dào nǎ li la　hái zài wū yán xià
跑到哪里啦?还在屋檐下。

xī qí gē
稀奇歌

yī xī qí　nán guā dù li chàng jīng xì
一稀奇,南瓜肚里唱京戏;

èr xī qí　sān suì hái zi shēng hú xū
二稀奇,三岁孩子生胡须;

sān xī qí　hóu zi qí jī
三稀奇,猴子骑鸡;

sì xī qí　xiǎo yú àn shang wán bǎ xì
四稀奇,小鱼岸上玩把戏;

wǔ xī qí　xiǎo zhū chuān hóng yī
五稀奇,小猪穿红衣;

liù xī qí　huáng gǒu fū xiǎo jī
六稀奇,黄狗孵小鸡。

wǒ hé bái yún
我和白云

yún zài tiān shang pǎo　wǒ zài dì shang pǎo
云在天上跑,我在地上跑,

tiào dào xiǎo hé li　yì tóng xǐ gè zǎo
跳到小河里,一同洗个澡。

你真棒　 要努力　 要加油

10.读一读,猜一猜。

yǒu wèi wú shēng xuān chuán jiā
有 位 无 声 宣 传 家,

shēn shang yǒu zì yòu yǒu huà
身 上 有 字 又 有 画,

wú lùn guó nèi guó wài shì
无 论 国 内 国 外 事,

yào zhī xiáng xì kě wèn tā
要 知 详 细 可 问 它。

（报 纸）
bào zhǐ

qiān céng bǎo kù fān kāi lái
千 层 宝 库 翻 开 来,

qī hēi zòng héng yí piàn pái
漆 黑 纵 横 一 片 排,

lì dài shì qing tā jì zài
历 代 事 情 它 记 载;

zhī shi méi tā chuán bù kāi
知 识 没 它 传 不 开。

（书）
shū

63

yì pǐ mǎ er liǎng rén qí
一 匹 马 儿 两 人 骑,

zhè biān gāo lái nà biān dī
这 边 高 来 那 边 低,

suī rán mǎ er bù zǒu lù
虽 然 马 儿 不 走 路,

liǎng rén qí de xiào xī xi
两 人 骑 得 笑 嘻 嘻。

（跷跷板）
qiāo qiāo bǎn

shēn tǐ yǒu yuán yě yǒu fāng
身 体 有 圆 也 有 方,

wén jù hé li bǎ shēn cáng
文 具 盒 里 把 身 藏,

yí dàn qiān bǐ xiě cuò zì
一 旦 铅 笔 写 错 字,

mǎ shàng qǐng tā lái bāng máng
马 上 请 它 来 帮 忙。

（橡皮 擦）
xiàng pí cā

学 拼 音

你真棒　　要努力　　要加油

11.拼拼读读,再看图用线连一连,看看小芳在做什么。

64

> xiǎo fāng shuì
> jiào le

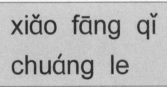

> xiǎo fāng qǐ
> chuáng le

> xiǎo fāng hé xiǎo
> míng zài chī fàn

> xiǎo fāng zhèng
> zài dú shū

学拼音